le rêveur de terre

le rêveur de terre

par nadia tuéni

illustrations de laure ghorayeb kerbage

Seghers

POUR UNE

*jeune morte vêtue d'écritures
amour que je m'invente.*

N.T.1974

*Que tu dises
simplement la* [*terre*]
*moi j'écoute
la tête enfouie dans tes mots*

*Terre fragile
fève bossue au printemps
couleur de couleur
infiniment [terre]*

*Je pense à la [terre] et au blé
plus riches après la bataille,
à cette fleur de sang irremplaçable.
Homme au profil d'arbre en hiver,
écoute :
l'enfant s'endort avec des rêves de mer rouge.*

Sous la [terre] une fenêtre,
sous tes doigts un cri d'horreur.
Chaque son est ce bourreau;
les mots, les mots respirent au rythme de la mort.
Nos mains des pieuvres qui se cherchent.
L'Alchimie des couleurs est la seule sagesse.
Et je vais une bille de vautour bleu en peur.

La [*terre*]
pour s'inventer une émotion
dessine
un homme.

Vieille parole,
espace blanc dans l'air aigu,
désert
vin du berger quand la rose allume son oeil de poudre;
Fleur d'eau
attends,
dis-moi,
la [terre] est-elle question ou réponse ?

I

*Si la mémoire s'endort dans les greniers
cette fleur et le poète
ont une même histoire de violente écriture,
preuve que la pensée n'est pas ce que l'on dit,
mais dedans le miroir un exact incendie.*

II

*Le silence des décombres
emprunte à l'eau son nom
mot-navire d'où partent
la [terre] et ses corps lents.*

[*homme*]

[*8*]

*Entre deux arbres
un [homme] parallèle à son sang
la pensée comme l'herbe
d'été rare
et
le ciel fuit comme j'aime
la rapide signature de l'éclair.
Tout commence à midi
lorsque
à l'horizon la rouge peur
car
ma terre alentour est une idée de peintre.
Un enfant mâche le vent.
Amour
espace où l'on respire
l'odeur d'icône de la vie.*

Rien qu'un [homme]
fusillons-le contre la porte.
Le matin pour l'emmener se vêt de la douceur de l'eau;
contre la porte de bois bleu nous serons mieux pour
*   l'achever.*
Il avait des genoux de guerre
un front de chêne sous la pluie.
Il me dit : "Je voudrais parler
de cette fleur qui meurt selon la courbe d'une pensée,
de l'oubli qui nous met à l'abri du soleil,
et de l'amour multiplié"...
Suffit.
A contre-jour fusillons-le
et que la haine lève comme un pain cuit.
J'en pleurerai peut-être.
Tout devient simple en terre profonde
tout devient bref.

J'ai cru voir en fête cet [*homme*]
qui parlait vite de choses tendres
et bas de choses graves.

*Pouvoir de naître
[homme] double au soleil;
puis lentement vers l'est,
ô bêtes odorantes,
un noir chemin,
le seul.*

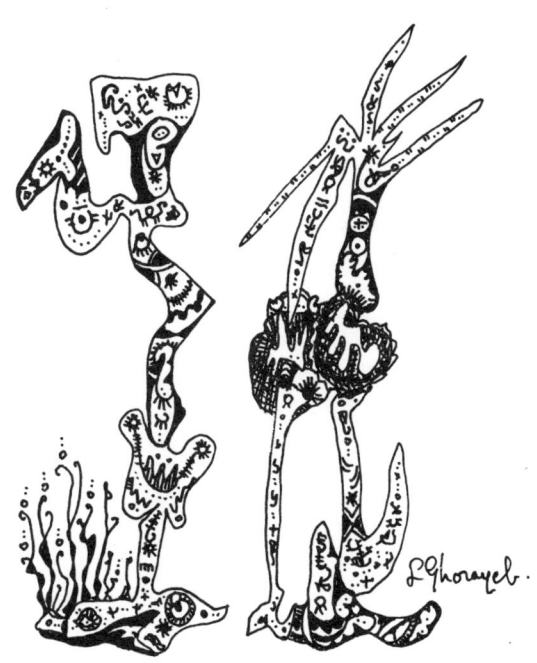

*Un [mot] sur le toit
un autre dans les yeux
deux grands soleils.
A peine ombre
la vie en rond sous les arbres.*

*Un [mot]
sur la face molle des prières.
Un homme
que la sueur de ce fleuve aveugle.
Un cri
pointu comme un pain d'eau,
L'amour —
dieu cassable —
dans la bureaucratie des roses.*

*Et pourtant la terre tourne
— selon que l'on y pense
ou pas —*

[*amour*]

[*16*]

*L'essentiel je le jure est
un [amour] semblable au bruit
que fait
un miroir que l'on tue.*

*A peine vos mains vos yeux tels d'attentifs troupeaux.
A peine ce chant de vie cet homme au front de bête
    lourde.
Il fait un soleil d'oiseaux et je regarde dans ma terre la
    courbe de l'eau rude entre tes deux épaules. A
    peine vieux d'une pensée ou vieux d'une rencontre,
    c'est le mouvement qu'il nous faut affronter,
    parce que l'air est pur de sommeil, et le temps
    comme un chacal mordu.
Je n'ai rien fait à peine. Mes mots sont retombés là où la
    vie n'est plus qu'une enfance violée; alors tous les
    chevaux emportent avec eux le bruit de leur galop.
A peine sous la porte un doux sanglot d'église.
A peine une nuit plate.
Et je m'éveille fou comme un croissant de lune.*

[*Amour*] *aux prestigieuses foulées aux rêves plus
      colorés qu'une île.
Tempête au goût de menthe au goût de femme.
Nous tâcherons d'être fleur puissante, mais
fleur de mer, lourde du poids de ces vaisseaux qui
vont comme un feu de braise.*
[*Amour*] *de sang dans les rochers.
Glorieuses sont les saisons torturées de légendes.*

Un matin d'[amour]
un homme occupé par la vie;
entre les deux suffisamment d'espace
pour que la connivence soit millénaire.

Toiles au visage d'exil
arbres rouges de Galilée,
ce qu'il nous faut c'est rire,
même s'il y a quelque part un homme heureux;
une abeille sur son front mûr de tant de lauriers,
une ville à son bras,
il ne voit rien venir que la bête à six branches.
Derrière lui
un [amour] dans sa prison de terre.

*Il y a des images qui guettent
le moment où
d'[amour] en amour le spectacle se joue,
lorsque
autour de toi je trace
un cercle de folie
précis comme un mensonge.*

Moi
qui suce le paysage
et lâche
mes yeux tristes
comme chiens maladroits
à la recherche
d'une
               image !

*Le ciel n'est que trois rides sur ton visage
et
tu es la campagne à odeur de café.*

*Ton oeil a deux iris
ta main sur la mémoire,
et ce chemin qui part d'une ligne du coeur,
lorsque j'ai dans la bouche la preuve du désert.*

Le meilleur [*amour*] *est celui qui
une fois conçu
se rédige d'un trait.
Mais toi
je t'ai aimée comme on aime la mer.*

Toi et moi comme un grand feu;
tel est le secret de [*l'amour*]*.*

A force de saveurs ma bouche est une écorce fatiguée.
Voilà pourquoi ce soir on m'appelle Sage.

*Ce papillon la bouche ouverte
et cette fleur jalouse du soleil
font
qu'entre tes doigts je dévore le sommeil
puisque tu es le corps du songe
et que loin de ta voix
dorment en paix les troupeaux.*

Ami éloigne-toi tu as froissé mon ombre !
Ami
souvent la mer emporte le rivage.

[*haine*]

*La [haine] au doigt
avec mes voisins les corbeaux;
pour tous
ce jardin où commence
le règne d'eau.*

Les mains fortes de [*haine*]
tellement plus belles
tu dis
la mort est un midi d'été
car
un homme à ta place finit.

[*femme*]

*Entre le bruit du vent et le bruit des idées
une [femme]
la même.*

*Au bord d'une [femme] un buisson,
— une liqueur d'air forte —
une explosion d'oiseau;
et nul ne sait qui est ce dieu de la danse ou de la parole !*

*Dans l'eau des danses
tout est si beau
que j'y plonge
un cimetière*

I

Jeune [*Morte*] *vêtue d'écritures*
amour que je
m'invente.

II

Le royaume d'hier jaunit sur le chemin,
il n'y a plus Personne —
pour me parler d'Exil —

III

Qu'importe si cet homme fut créé par hasard !
livre blanc où mon sang s'écrit
vieux comme un piège.

*O [mort] interminable des poètes
feu qu'on éteint de douleur
main tendue sur le silence.
Longtemps je me souviens de troupeaux;
le soleil du désert ne fait jamais de bruit,
et la blanche parole s'installe entre les sables.
De Galilée en Galilée j'irai toujours plus neuf
que le matin sauvage de peur.*

Avec les migrations je vais,
archipel blanc dans l'univers.
Si la [mort] est oubli de dire,
à chaque homme un oiseau ressemble.

Passera la tempête.
les enfants sont partis loin de Dieu et des fleurs.
L'odeur des chauds silences tourne autour des livres
    sacrés;
rien que le matin coincé entre soleil et terre.
Et roulera la [mort] au train d'une vieille abeille.

[*corps*]

[*42*]

*Mais toi
luisante au [corps] de temple
un vent lourd te détrône
quand tu ouvres les yeux sur un royaume.
Nous allions de paroles tristes
chaque geste est coupable de briser une enfance.
Nous allions,
tu m'a donné le temps de me faire un visage
comme le pain chaud du prisonnier;
et c'est de Toi que je parle,
de Toi qui es le feu et l'eau,
merveilleusement Reine.*

*Soudain ton [corps] se lève
multiple de dures vérités;
à celui dénudé que le sommeil est juste
et loin la pierre précieuse du soleil.*

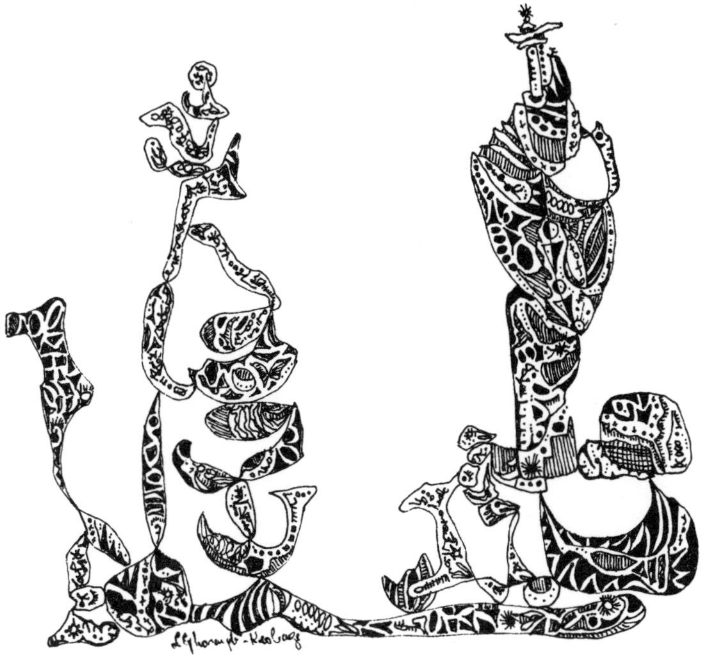

[Nuit]

[*Nuit*] *ma grande pensée*
j'aime à sentir sur mes tempes
l'étreinte de ton reptile.
Mes yeux s'accrochent à la tempête;
le ciel toutes voiles au vent s'ébranle,
je crains le sang tiède
que la mer sur nos côtes rejette.
La terre nécessite la présence multiple des éclipses.
Dans mes narines une odeur de vie
de cités détruites.
Que tout recommence
depuis la première mouette jusqu'au message du
  hasard.
L'ombre est absurde.
Pas d'histoire sans image,
d'image sans souvenir,
de souvenir sans lumière.
Le mot tombe comme une sentence,
un venin craché
et pourtant si docile.
Pays de couleur ancienne,
— plus ancienne qu'un amour —
Pays qui franchit ma jeunesse.
Le soir le coeur est feu éteint par l'eau bénite.
Moi,
à la recherche de.

La [nuit] aveugle les objets,
des débris de visage jonchent nos rêves.
O ce bruit de la foule qui incite à penser à la mort,
qui oblige les hommes à parler bas;
et c'est justement de cette lune qu'il importe de
nous méfier,
de cette femme que la pluie décolore
quand j'ai mal à la vie,
à ce qui fait que l'âme et les mots se comprennent,
l'espace d'un espace
entre l'œil et sa cible.

*Pour une [nuit] plus haute qu'un feu de bois,
l'épée sur le soleil
est un espace nécessaire !*

Je soulève un pan de [mer]
trois roses
trois feuilles
les eaux se couchent tel un oeil.
Sur le poème un air d'enfance.
Lune lisse
paysage sans nom
pour le chien de Dali.
Il neige une passion
et
nous partons la [mer] au cou
vers
l'incendie des musiques.

*La [mer] se cache dans ses eaux
le vent est un fardeau de prince,
mais la lampe et la nuit s'en vont en chuchotant
écoutent
la respiration des mémoires.*

*Comment reconnaître l'espace quand on n'a jamais
    rencontré l'oubli ?
Mais l'oiseau craignait les grands souvenirs de jadis.
Pourtant la première parole était sommeil.
Grave.*

[*pluie*]

[54]

*Il y a des jeux
doublés d'incendies et de* [*pluies,*]
*couleur de longs trous de mémoire,
au pays où les ombres sont un secret langage.*

Faut-il que l'hiver soit tranquille, pour que la [pluie] ait des bretelles, grises comme la langue de mon grand-père, celle qui pendait à sa fenêtre les jours de bon soleil, quand moi j'étais écrit sur la page d'un cahier rouge ?

*Il pleut
des syllabes en voie de métamorphose,
pain dur et nécessaire de l'homme
en ce pays de démence
léger comme le suicide.
Reste le souvenir mon bel oiseau de proie
et l'horizon coupé par un envol de mots.*

*Ville rectiligne;
vieux sourire oublié sous une chaise
plus nue qu'un pont de corps.
Quelquefois
un enfant le pied sur un espoir,
transparent comme l'idée de mort,
désigne du doigt un cri de couteau.
Ville
O bouquet de [pluie.]
Des phrases aux fenêtres se pressent
assassinées par eux.
A la croisée des routes fleuve
entre l'homme et Dieu.
O ville, tel un printemps aveugle
lancée
à la poursuite d'une histoire.*

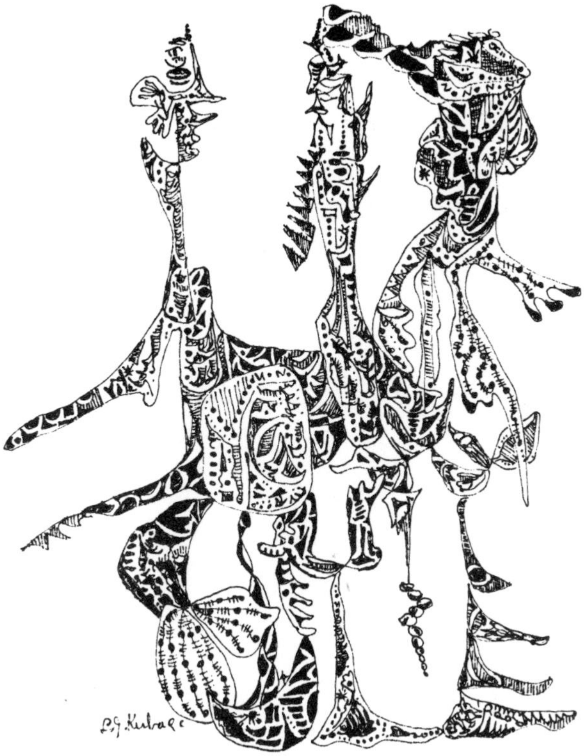

L'[étoile]
— une épine au doigt —
l'oiseau s'absente — dans sa forme —
en un matin (bavard)
il est des jeux triangulaires —
de vers luisants
mathématiques —

Avec par-dessus un amour !

[Etoile] plus précieuse que le malheur.
Au sommet de chaque homme un dompteur de lunes.
Je ne veux que la démesure.
Sur mon front une histoire telle une main retombe.
J'ai connu le temps clos des choses certaines.

*Miroir désaffecté
ton profil voyage comme un rire de feuilles.
Ile fouettée d'heures brèves
mince pays — quand de musique est tatoué le vent —
jeunesse.*

[*dieu*]

[*64*]

*Les silences du Christ
ne nous ont jamais poignardés.*

*Qui parle de résurrection ?
Reine de deux Asies,
je me crois dans ces jardins d'enfance —
étendue sur une mappemonde —
grand oiseau de la fin.*

*Vous
vierge sucrée
[dieu] pointu
phallus de confiture acidulée.
Vous
être entier dans chaque rose
dans chaque rêve
coupable de n'importe quoi.
Vous
animaux et terre
brûlés à longs coups d'encensoir.*

Il y a aura toujours
 de coupables merveilles
 dans les musées de
[*Dieu*]*!*

*En ce lieu indécis
à l'heure des draps humides
du matin au souffle gentil,
le bric-à-brac des mots,
rangés à l'envers dans la nuit,
frappe à la porte d'une image.
Alors le petit jour
a glissé sur des rails
ses pieds nus en couleur.
Et c'est pourquoi
les fleurs nous tombent encore des yeux,
après la mort du feu.*

*Un soleil bas
ma peur en est l'image réfléchie;
et j'aime que l'on soit
plus pervers que sauvage,
coloré comme un livre saint.*

[*Seul*] *comme l'eau du puits
et le bonheur
cette fleur inquiétante.*

[Seul] comme un défi je me nomme chasseur d'ombres.
[Seul] comme un couteau je traverse la vie.
— sur ma tempe un oiseau se pose —

*Mon visage ce fer de lance
de pavots et autres sortilèges
geste d'adieu à la terre venteuse.*

Double continent sans mémoire.

*Et j'arrive à moi-même orgueilleux de ce lent voyage.
Et vienne le moment où je pourrais écrire
que je vais simplement
dans la paix du berger.*

*Au nom de quel monarque parles-tu,
toi qui dis l'épée plus importante que la rose ?
Car tu pénètres la folie
pesant de tout ton poids sur la terre promise.*

LA COUVERTURE ET LA MAQUETTE ONT ETE REALISEES PAR W. FARES

CET OUVRAGE, TIRE A CINQUANTE EXEMPLAIRES SUR VELIN D'ARCHES NUMEROTES DE 1 A 50, ET 2000 EXEMPLAIRES SUR PAPIER LEYKAM, POUR LE COMPTE ET POUR LE PLAISIR DE PIERRE SEGHERS, EDITEUR A PARIS.

DEPOT LEGAL: 4ème TRIMESTRE 1975
NUMERO D'EDITEUR: 2767